Sin Cat Dána!

scríofa ag Patricia Mac Eoin

maisithe ag Richard Watson

1. Seó Mór na gCat

Níl cliú ag Tony uaireanta. Níl cliú aige!

Tréidlia maith is ea é ach níl a fhios agam cad a dhéanfadh sé gan mise!

Tráthnóna Dé hAoine seo caite bhíomar beirt traochta. Bhíomar ar tí dul abhaile nuair a bhuail cuairteoir an doras isteach.

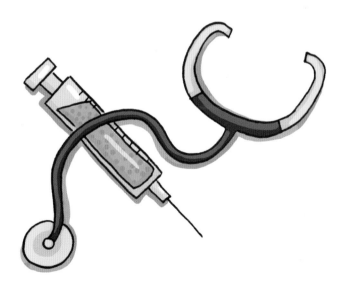

Cé a bhí ann ach Bean Seoighe.

A dhiabhail!

"Tá Cleopatra le bheith i Seó Mór na gCat amárach, a Tony" ar sise. "Ach níl cuma cheart ar a hingne. Agus an féidir snas a chur ar a cuid fiacla?"

"Ní parlús áilleachta é an áit seo!" arsa mise liom féin. "Bímid ag tabhairt aire d'ainmhithe atá tinn!"

"Éist, a Bhean Seoighe," arsa Tony go deas múinte. "Táimid ar tí dúnadh. Ach coinneoimid Cleopatra thar oíche."

"Cuirfimid caoi uirthi an chéad rud ar maidin."
"Tabhair aire mhaith di," arsa Bean Seoighe.
"Is í cuisle mo chroí í." "Ná bí buartha!" arsa
   Tony, "tabharfaimid aire den scoth di. Beidh na
   hingne i gceart agus beidh a cuid fiacla chomh
   bán le sneachta!"

D'fhéach Cleopatra anall ormsa.
Ní raibh cuma ró-álainn ar an bhféachaint sin.

Isteach linn i Seomra na gCat. D'oscail Tony
cás do Chleopatra. Bhí cantal ceart uirthi.
"Hé, níl an phluid seo bog go leor!" ar sise.
"Agus cá bhfuil mo dhinnéar? Ní ithim ach iasc
úr - BRADÁN IS FEARR LIOM!"

"Éist, ní bialann é seo!" a d'fhreagair mé.
"Tuigim é sin!" arsa Cleopatra. "Níl na suíocháin
  compordach agus tá drochbholadh san áit!"

Thug mé cluas bhodhar di.
Bheadh aiféala orm faoi sin níos déanaí.

2. Cá bhfuil Cleopatra?

Luigh mé síos cois tine tar éis an dinnéir.
Bhí Tony ag srannadh ina chathaoir dheas
chompordach.

D'fhág mé an tine le, bhuel, le mo ghnó a
dhéanamh lasmuigh.
Ar aghaidh liom ansin le súil a chaitheamh thart
ar an gclinic – rud a dhéanaim gach oíche sula
dtéim a chodladh.

Clinic Tony

A dhiabhail! Bhí fuinneog ar oscailt! Seomra na gCat a bhí ann!

D'fhéach mé isteach go faiteach.

Cleopatra! Bhí sí imithe. Agus an seó mór an lá arna mhárach. Bheadh Bean Seoighe le ceangal! Mharódh sí Tony bocht.

3. Timpeall agus Timpeall

Cá rachadh cat dána ar an mbaile seo, meas tú? Ar an Aonach Spraoi, cinnte!
Bhí an áit plódaithe.

Shiúil mé thart ag cuardach Cleopatra.
Ansin, chonaic mé í. In aice leis an Roth Mór a
bhí sí. "Cleopatra, tar anseo!" arsa mise os ard.
Lig sí uirthi nár chuala sí mé, an diabhal dána!

17

Stop an Roth Mór agus léim Cleopatra suas air.
Thosaigh an roth ag gluaiseacht arís.
"Slán go fóill!" a bhéic Cleopatra.

Stop an roth arís. Léim mise ar bord chomh maith. "Tar anuas as sin," a bhéic mé, "nó beidh aiféala mór ort!" Thosaigh an roth ag gluaiseacht arís, níos tapúla agus níos tapúla. Ar aghaidh leis, timpeall agus timpeall.

19

"Tá sé seo go H-I-O-O-O-N-N-N-TACH!!"
a scread Cleopatra. Ní raibh mé féin chomh
sásta céanna, áfach. Bhí faitíos orm go
bhfeicfinn mo dhinnéar arís!
Stop an roth agus léim Cleopatra anuas.
Léim mise anuas ina diaidh.
"Tar ar ais anseo chugam, anois!", a bhéic mé.

"Beidh ort breith orm ar dtús," arsa Cleopatra.
Rith sí uaim. Rinne mé iarracht í a leanúint.
Ach is ar éigean go raibh mé in ann seasamh,
leis an mearbhall a bhí orm.

Lig mé mo scíth ar feadh cúpla nóiméad.
Bhí mé ar buille ceart! "Béarfaidh mé go fóill
uirthi," arsa mise liom féin. "Ní bhfaighidh an
cat dána sin an lámh in uachtar ormsa!"

4. An Cheolchoirm

Shiúil mé suas síos an tsráid. Ní raibh tásc ná tuairisc ar Chleopatra. Go tobann, chuala mé ceol binn. Shuigh mé síos ar an gcosán, ag éisteacht. Ach ansin....

"Ó SÓLÓ MÍ ABBHHHAAA"
Cleopatra a bhí ann!
Ina seasamh ar an bpianó, a béal ar oscailt
agus í ag screadach!

Ní mó ná sásta a bhí an t-amhránaí.
"Amach as seo leat!" ar sise.
"Tá mo cheolchoirm millte agat!"
"Seo leat, anois," a d'ordaigh mé.
"Ar ais chuig an gclinic – díreach!"

"Ag magadh atá tú," arsa Cleopatra os ard.
"Níl an oíche ach ina tús!" Trasna an bhóthair léi,
gan féachaint ar dheis ná ar clé. Bhí an t-ádh
léi nach ndearna an bus pancóg di ar an tsráid!
Ar aghaidh léi go beo.

Is beag nach raibh taom croí ag an tiománaí bocht! Trasna an bhóthair liom féin chomh tapa agus ab fhéidir. Bhí sí imithe! Dá mbeadh a fhios ag Bean Seoighe go raibh a Cleopatra álainn ar strae!

Bhí mé maraithe tuirseach.
Bhí mé fuar agus bhí pianta i mo chosa.
Ach bhí Tony agus an clinic ag brath orm.
Bhí orm Cleopatra a fháil ar ais roimh mhaidin.

Bhí mo mhisneach ag teip orm nuair a fuair
mé boladh. Boladh deas...

5. Am Suipéir

Mmmm! Sceallóga! Agus iasc!
Agus in aice an veain, bhí bosca bruscair –
agus é lán de bhia! Go tobann chuala mé guth
ard. Guth ard dána.

"Is liomsa é, is liomsa é, mise a tháinig air!"
Thit ciúnas ar feadh soicind.
"Tabhair dom é, a chaitín," arsa guth garbh,
go mall. "Ansin, gread leat go beo. Is linne
an áit seo!" D'fhéach mé timpeall an chúinne
go faiteach.

Radharc uafásach a bhí romham.
Bhí trí chat fhiáine ag stánadh ar Chleopatra.
Ferdia Fíochmhar, Taimín Troideach agus
Córa Cam. An triúr cat is contúirtí ar an
mbaile seo.

Chas Cleopatra i mo threo. Bhí faitíos ina
súile anois. Bhí faitíos an domhain orm féin
chomh maith.

"Go tapa, go tapa, an treo seo!" arsa mise léi.
Bhí Cleopatra sásta mé a leanúint an uair seo.
Chuala mé na trí chat ag teacht inár ndiaidh.
Níor rith mé riamh chomh tapa i mo shaol.
Trasna an bhaile linn, thar an óstán galánta
agus siar thar an aonach spraoi.

Shroicheamar an clinic. Stadamar faoin
bhfuinneog oscailte.

"Isteach, isteach leat go beo!" arsa mise.
Léim Cleopatra isteach as radharc.

Nóiméad ina dhiaidh sin bhí an triúr bithiúnach ann. "Oíche fhuar, a leaids," arsa mise go réchúiseach leo. Stop siad. Bholaigh siad an t-aer. Stán siad orm ar feadh nóiméid. Ansin, lean siad orthu síos an bóthar.

6. Dhá lá ina dhiaidh sin

Bhí mé féin agus Tony ag tógáil ár sos maidine.

D'oscail an doras de phreab.

Bean Seoighe a bhí ann agus
sceitimíní uirthi. "Tony!
Bhuaigh Cleopatra an
chéad áit!
Dúirt na moltóirí
nach bhfaca siad
cat chomh
suaimhneach,
chomh cliste ná
chomh galánta
léi riamh!"

"Rinne tú an-jab go deo ar a cuid fiacla!" arsa Bean Seoighe. "Agus na hingne! Bhí siad díreach i gceart!" "Ó, go raibh maith agat," arsa Tony. "Ach ní mar gheall ar a háilleacht amháin a bhuaigh Cleopatra".

"Ba í an oíche chiúin sa chlinic a rinne an difríocht. Bhí Cleopatra in ann a hintinn a dhíriú ar an seó mór, gan aon rud eile ag cur isteach uirthi. Sin an fáth go raibh an bua aici!"
"Ó, is fíor duit! Is tusa an tréidlia is fearr ar an mbaile seo!"
arsa Bean Seoighe.

Is beag nár phléasc mé amach ag gáire.
Tar éis na hoíche a chaith an diabhal cat sin ag
rith ar fud an bhaile, bhí ionadh orm nár thit sí
ina codladh ag an seó mór!

"Anois, a Tony, rud amháin eile sula n-imímid," arsa Bean Seoighe ansin. Ní chreidfidh tú an chéad rud eile a dúirt sí. "Beidh Cleopatra ag dul go dtí an chraobh náisiúnta i gceann míosa. An féidir léi fanacht anseo an oíche roimhe?" A dhiabhail!

"Is féidir léi, cinnte," arsa Tony.
"Ní haon trioblóid í ar chor ar bith. Beidh áthas
orainn í a bheith linn. Nach mbeidh, a Trixie?"

Níl *cliú* ag Tony uaireanta.

NÍL CLIÚ AIGE!